J'obser
er

· · · · · · · · · ·

Texte d'Isabelle Montpetit
Illustrations d'Isabelle Langevin

EH Héritage jeunesse

Données de catalogage avant publication (Canada)

Montpetit, Isabelle, 1959-
    J'observe la nature en hiver
    (Les quatre saisons)
    Pour les jeunes de 8 à 12 ans.
    ISBN 2-7625-8600-3

    1. Nature - Ouvrages pour la jeunesse. 2. Hiver - Ouvrages pour la
jeunesse. 3. Sciences naturelles - Ouvrages pour la jeunesse. I. Titre.
II. Langevin, Isabelle.

QH48.M662 1997   j508   C97-940564-5

Dépôts légaux : 3e trimestre 1997
Bibliothèque nationale du Québec
Bibliothèque nationale du Canada
ISBN 2-7625-8600-3
Imprimé au Canada

Directeur de collection : Martin Paquet
Graphiste : Mathilde Hébert
Sources des photos : Commission canadienne du tourisme : p. 6, p. 9 ;
Jocelyn Boutin : p. 7, p. 57, p. 58 ; Thérèse Fraysse : p. 49, p. 52 ; Mathilde
Hébert : p. 15 ; Suzanne Brûlotte : p. 16 et 17, p. 23 Jardin botanique de
Montréal (R. Meloche) : p. 27 ; Planétarium de Montréal : p. 43.

Les éditions Héritage inc.
300, rue Arran, Saint-Lambert (Québec) J4R 1K5
Téléphone : (514) 875-0327
Télécopieur : (514) 672-5448
Courrier électronique : heritage@mlink.net

Le Conseil des Arts du Canada   The Canada Council
DEPUIS 1957   for the arts   since 1957

Nous remercions le Conseil des Arts du Canada de l'aide accordée
à notre programme de publication.

Imprimé par Payette et Simms inc.
Saint-Lambert (Québec)

Table des matières

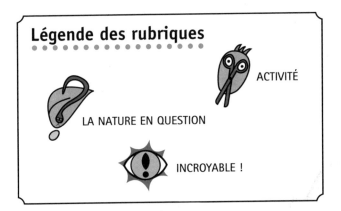

Légende des rubriques

ACTIVITÉ

LA NATURE EN QUESTION

INCROYABLE !

La nature au repos

En hiver, la nature se repose. Les arbres et les plantes cessent presque toute activité. Les animaux vivent au ralenti. Certains, comme la marmotte et la chauve-souris, entrent en **hibernation** : leur corps se refroidit, ils ne respirent presque plus et leur cœur bat très lentement. D'autres, comme l'ours, la mouffette et le tamia rayé, font de très longues siestes. Mais leur sommeil n'est pas aussi profond que celui des hibernants.

Du solstice à l'équinoxe

Officiellement, l'hiver commence au **solstice** d'hiver : le jour le plus court de l'année (et donc la nuit la plus longue !). Cela survient souvent le 21 décembre, parfois la veille ou le lendemain. Quand tu te réveilles le matin, il fait encore noir, et quand tu rentres de l'école, la nuit est presque déjà tombée.

À mesure que l'hiver avance, les jours allongent et les nuits raccourcissent. Autour du 20 mars, c'est l'**équinoxe** de printemps : la nuit et le jour ont exactement la même durée. C'est la fin de l'hiver, et le début officiel du printemps.

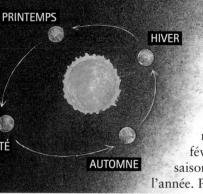

PRINTEMPS

HIVER

ÉTÉ

AUTOMNE

La saison la plus courte

L'hiver est la seule saison comptant un mois de 28 jours : février. C'est donc la saison la plus courte de l'année. Pourquoi ?

Au cours d'une année, la Terre fait un tour complet autour du Soleil. Mais son trajet ne forme pas un cercle. Il a plutôt la forme allongée d'une ellipse. Le Soleil ne se trouve pas au milieu de cette ellipse. Il est un peu décentré.

En hiver, la Terre est donc plus proche du Soleil qu'en été. Étonnant, n'est-ce pas ! Notre planète parcourt alors moins de chemin que pendant les autres saisons. Voilà pourquoi l'hiver est plus court. S'il nous semble interminable, c'est à cause du froid et de la nuit qui tombe tôt !

Le jour de la marmotte

Selon une croyance, le 2 février, à midi, la marmotte sort de son terrier pour vérifier si le printemps s'en vient. Si elle ne voit pas son ombre (quand le ciel est couvert), elle conclut que l'hiver est terminé et sort pour de bon. Si elle voit son ombre, elle retourne en hibernation pour six autres semaines. Mais les dons de voyance de la marmotte n'ont jamais été prouvés !

Noël, fête de la lumière

Les poumons au ralenti

Pendant qu'elle hiberne, il arrive que la marmotte ne respire qu'une fois toutes les... quatre à six minutes !

Dans les religions chrétiennes, on fête la naissance du Christ le 25 décembre. Mais longtemps avant que Jésus ne vienne au monde, on célébrait le solstice d'hiver : le moment de l'année où les journées commencent à allonger. Les Romains fêtaient les saturnales, en l'honneur de Saturne, le dieu de l'agriculture. Ils lui demandaient de bonnes récoltes pour l'été à venir. Ils décoraient les rues avec des bougies et des branches de conifères. Et ils échangeaient des cadeaux. Comme aujourd'hui !

Doux flocons

As-tu déjà essayé d'attraper des flocons de neige en ouvrant grand la bouche ? Avant de les avaler, pourquoi ne pas les observer. Rien de plus facile !

MATÉRIEL

- un carton noir
- du papier
- un crayon
- une loupe

1. Une journée de neige, apporte un carton noir dehors. Attends quelques minutes qu'il refroidisse, sinon les flocons vont fondre à son contact.

2. Observe à la loupe les flocons qui tombent sur le carton. Sont-ils tous semblables ? Combien de côtés ont-ils ?

3. Dessine quelques flocons.

4. Note le temps qu'il fait : quelle est la température ? est-ce qu'il vente ? la neige est-elle sèche ou mouillée ?

5. Refais l'expérience à d'autres moments de l'hiver.

Compare les dessins réalisés à diverses périodes de l'hiver. Y a-t-il une différence entre les flocons qui tombent par temps doux et ceux qui tombent par temps froid ? par temps venteux et par temps calme ? On dit que tous les flocons de neige sont différents. Est-ce le cas des tiens ?

Un bon nombre de flocons de neige ont six côtés. Mais souvent, ils se transforment ou s'agglutinent entre eux. C'est ainsi qu'on peut voir des flocons en forme d'aiguilles, de colonnes ou de boulettes informes.

Records de neige

Entre février 1971 et février 1972, il est tombé plus de 31 m de neige à Paradise, dans l'État de Washington, aux États-Unis.

•

La plus importante chute de neige en une journée s'est produite en avril 1921, à Silver Lake, au Colorado, aux États-Unis. Il est tombé 1,93 m de neige.

•

Au mont Shasta Ski Bowl, en Californie, aux États-Unis, il est tombé 4,8 m de neige lors d'une tempête qui a duré six jours, en 1959.

Des flocons... d'air !

Remplis un seau de neige et laisse-la fondre dans la maison. Surprise ! Il y a environ dix fois moins d'eau qu'il y avait de neige ! Si la neige est très sèche, elle contiendra encore moins d'eau.

Un flocon de neige est composé de milliers de petits cristaux de glace... et de beaucoup d'air. C'est pour cette raison que les flocons sont si légers.

Avec tout cet air, la neige est un excellent isolant. Comme la laine minérale dans les murs de ta maison ! Dehors, il peut faire -30 °C, mais sous une bonne couche de neige, la température est toujours d'environ 0 °C. Voilà pourquoi les plantes survivent mieux lors des hivers où la neige est abondante. Sans cette couverture, le gel pourrait les tuer.

As-tu remarqué comme tout est calme et silencieux après une chute de neige? C'est l'air dans la neige qui crée cette ambiance paisible, car il absorbe les bruits et les sons.

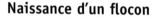

Naissance d'un flocon

La neige se forme dans les nuages. Là-haut, l'eau existe sous forme de gouttelettes minuscules, invisibles à l'œil nu. Lorsqu'il fait très froid et qu'une de ces gouttelettes rencontre une poussière, elle se transforme en un cristal de glace. D'autres gouttelettes sont attirées par ce cristal. Un flocon commence à se former. Lorsqu'il est assez gros et lourd, il tombe au sol.

L'arbre au bois dormant

En hiver, les arbres semblent morts. En apparence seulement. Car même dans les pires froids de janvier, une branche peut t'en dire long sur la vie de l'arbre.

Examine une branche d'arbre ou d'arbuste. Pour être plus à l'aise, demande au propriétaire de l'arbre la permission de cueillir la branche et de la rapporter chez toi.

Surprise ! Même s'il fait -30 °C, les **bourgeons** sont déjà là ! Ils se sont formés l'automne dernier, avant la chute des feuilles. À l'intérieur de chaque bourgeon, une feuille ou une fleur miniatures attend le printemps. Elles sont protégées du froid par une enveloppe formée d'écailles.

À la base de chaque bourgeon, tu peux voir une petite cicatrice en forme de croissant. C'est là que la feuille était attachée avant de tomber à l'automne. Examine la cicatrice à la loupe. De petits points y sont disposés. Ce sont les cicatrices des vaisseaux par où l'arbre et la feuille échangeaient la sève.

Le bourgeon au bout de la branche s'appelle le **bourgeon terminal**.

Ces petites verrues sont les **lenticelles**, des trous d'aération qui permettent à la branche de respirer.

D'autres cicatrices, étroites et groupées, se retrouvent à intervalles réguliers le long de la tige. Ce sont les cicatrices des bourgeons terminaux des années précédentes. L'espace entre deux cicatrices représente une année de croissance. Quel âge a ton bout de branche ?

Différents, ces bourgeons !

Compare les bourgeons de deux espèces d'arbres. En quoi sont-ils différents ? Observe leur longueur et leur couleur. Comment sont-ils placés sur la branche ? Face à face ? Deux par deux ? En alternance le long de la branche ? Sont-ils lisses ou poilus ?

Réveille un arbre !

Un pommier canadien qu'on transplanterait dans un pays tropical ne donnerait pas de fruits. En effet, les arbres de chez nous ont besoin d'une période de repos pour fleurir au printemps.

Fais-en l'expérience.

MATÉRIEL

• sécateur

• branches d'arbre

• petit récipient

1. En décembre ou en janvier, cueille une branche d'arbre. Place-la dans l'eau, près d'une fenêtre, et attends quelques jours. Les bourgeons ouvrent-ils ?

2. Répète l'expérience à la fin de février ou au début de mars. Combien de temps faut-il aux bourgeons pour éclore ?

3. Fais l'expérience à la mi-mars avec des branches de plusieurs espèces d'arbres. Les bourgeons ouvrent-ils tous en même temps ?

Pour éclore, les bourgeons ont besoin de plusieurs jours de froid, et d'un minimum de lumière. En décembre ou en janvier, ils ne sont pas prêts. Mais à la fin de l'hiver, il a fait froid assez longtemps et les jours sont plus longs. C'est le signal pour l'arbre de se réveiller et d'ouvrir ses bourgeons. À la chaleur de la maison, c'est très rapide. Dehors, cela peut prendre plus de temps.

Verts en hiver !

Parfaitement adaptés au froid, les conifères conservent leurs aiguilles (ou leurs écailles) tout l'hiver*. Celles-ci sont protégées du froid par une peau épaisse

et cireuse. Le liquide à l'intérieur des aiguilles est aussi épais et visqueux, ce qui l'empêche de geler.

Les conifères continuent-ils à croître en hiver ? Non, comme les feuillus, ils attendent la saison chaude pour se remettre à grandir.

* À l'exception du mélèze qui perd ses aiguilles à l'automne.

L'hiver à tire-d'aile

La plupart des oiseaux nous quittent à l'automne pour aller passer l'hiver dans le Sud, où la nourriture est plus abondante. Ceux qui restent, moins nombreux, trouvent assez de nourriture pour survivre. En voici quelques-uns :

**mésange
à tête noire**
son cri, *tchickadi-di-di*, est facile à reconnaître.

À chacun son menu

Les mésanges, les pics, les sitelles et les geais bleus raffolent des graines de tournesol et du gras. Mélange les graines avec du bacon coupé en morceaux ou du gras de cuisson figé (par exemple, celui qui repose au fond de la lèchefrite après la cuisson d'un poulet).

Certains oiseaux, comme le bruant des neiges, le moineau domestique et la tourterelle triste, se nourrissent au sol. Lance-leur des graines ou des morceaux de pain sur la neige.

Si tu es patient, les mésanges et les mésangeais du Canada viendront manger des graines dans ta main !

gros-bec errant
des bandes de
ces gros oiseaux
dévalisent souvent
les mangeoires.

tourterelle triste
ce gros oiseau au
chant mélancolique
ressemble à un
pigeon.

geai bleu
son cri strident
retentit tout l'hiver.

pic mineur
on entend de loin
le tambourinement
de son bec sur les
troncs d'arbres.

**mésangeai
du Canada**
il semble n'avoir
peur de rien et vient
souvent chaparder
les restes de table
des randonneurs.

roselin pourpré
on dit qu'il ressem-
ble à un moineau
trempé dans du jus
de framboise !

À la fin de la journée, nous, les gros-becs errants, faisons des réserves pour mieux passer la nuit.

À l'épreuve du froid

Comment les oiseaux survivent-ils au froid de l'hiver ? D'abord, ils mangent beaucoup afin d'avoir des réserves suffisantes d'énergie. Sans nourriture, un moineau domestique ne survit pas plus d'une dizaine d'heures à -30 °C.

Ensuite, les oiseaux gonflent leurs plumes pour y emprisonner beaucoup d'air. Cet air leur sert d'isolant. Certaines espèces, notamment les moineaux, ont d'ailleurs plus de plumes en hiver qu'en été.

Autre stratégie : les oiseaux frissonnent beaucoup. Un frisson est une série de contractions très rapides des muscles. Ces contractions libèrent de la chaleur qui réchauffe le corps (comme lorsque tu fais de l'exercice). Avec de bonnes jumelles, peux-tu voir les oiseaux frissonner ?

Nous, les moineaux, passons la nuit collés les uns contre les autres pour nous réchauffer.

Au chaud sous la neige

La gélinotte huppée a une astuce pour se protéger du froid. Cet oiseau, qui ressemble un peu à une poule, s'enfonce sous la neige où il fait plus chaud qu'à l'extérieur. Lors d'une randonnée en forêt, tu verras peut-être une gélinotte sortir de sa cachette et s'envoler bruyamment. On croirait entendre un moteur qui démarre !

Où es-tu, qui es-tu ?

Sers-toi d'un guide d'observation pour reconnaître chaque espèce. Apprends à distinguer le mâle de la femelle ; chez plusieurs espèces, ils sont très différents. Quelles sont les espèces solitaires ? celles qui se tiennent en groupes ? Certaines espèces se nourrissent-elles toujours avant les autres ?

Sur la piste des animaux

L a neige est précieuse pour les observateurs de la nature : elle conserve les traces des animaux. Exerce tes talents de détective pour les identifier.

Les galopeurs

arrière

Quand ils se déplacent, certains animaux font passer leurs pattes de derrière devant leurs pattes de devant. C'est le cas du lièvre d'Amérique (illustration), des écureuils et de certaines souris. Leurs pistes ont toutes la même forme : deux gros trous écartés à l'avant (les pattes de derrière); deux petits trous rapprochés à l'arrière (les pattes de devant).

En anglais, le nom du lièvre d'Amérique (*snowshoe hare*) signifie « lièvre à raquettes ». Ses pattes de derrière ont les doigts écartés et les marques qu'elles font dans la neige ressemblent à celles de raquettes. Le lièvre a tendance à se déplacer toujours dans les mêmes sentiers. C'est pourquoi ses pistes se chevauchent souvent.

Les sauteurs

avant

arrière

Les animaux de la famille du vison (belette, hermine, loutre, martre) ont un corps long et des pattes courtes. Lorsqu'ils courent, leurs pattes de devant touchent le sol en même temps, puis leurs pattes de derrière suivent. Celles-ci tombent souvent (mais pas toujours) dans les traces des pattes de devant. Les pattes de devant et de derrière ont presque la même grosseur.

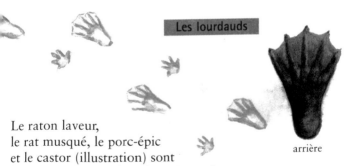

Les lourdauds

arrière

Le raton laveur,
le rat musqué, le porc-épic
et le castor (illustration) sont
des animaux assez lourds, qui marchent pesamment.
Leurs pattes de derrière font de gros trous qui alternent
avec les petits trous des pattes de devant.

avant   arrière

Le cerf de Virginie (illustration) et l'orignal ont deux sabots au bout de chaque patte. Ces deux sabots forment une trace en forme de parenthèses, facile à reconnaître. Dans la neige épaisse, on peut aussi voir l'empreinte du petit doigt derrière chaque sabot.

Les canidés – chien, coyote (illustration), renard, loup –

arriè

avant

et les félidés – chat, lynx – laissent des pistes en ligne droite, comme si l'animal marchait sur une corde raide. Les traces des pattes des canidés comportent souvent une petite marque au bout des doigts : les griffes. Mais pas celles des félidés, qui sortent rarement leurs griffes.

Mystérieuses disparitions

Parfois, une piste s'arrête brusquement, comme si l'animal s'était évaporé ! C'est que certains animaux plongent sous la neige pour en ressortir un peu plus loin. Une habitude partagée par plusieurs membres de la famille du vison : les loutres, les belettes et les martres.

D'autres créatures, comme les souris, les mulots et les musaraignes (photo), vivent carrément sous la neige, dans des tunnels où ils sont à l'abri du froid. Ils sortent de temps en temps.

La neige conserve parfois les traces de tragédies. Dans un boisé de conifères, les traces d'un mulot s'arrêtent brusquement. Tout à côté, l'empreinte de l'aile d'un rapace est gravée dans la neige. Au vol, l'oiseau s'est emparé du mulot !

Sport d'hiver

Les loutres adorent glisser dans la neige. On peut voir les traces de leurs glissades sur les pentes enneigées.

Au dodo, les insectes !

Si tu es déjà allé dans un chalet en hiver, tu as sans doute remarqué que les mouches se réveillent à mesure que la maison se réchauffe. Pourquoi ?

Les mouches, comme tous les insectes, sont des animaux à **sang froid** : leur corps est incapable de se maintenir à la même température. Lorsqu'il fait chaud, leur température monte. Lorsqu'il fait froid, elle baisse*. Comme le corps des insectes ne peut pas fonctionner quand il fait trop froid, ils passent l'hiver au repos. La chaleur du printemps – ou celle d'un calorifère en hiver ! – les réveille.

Pour survivre au froid, les insectes ont un bon truc. À l'automne, lorsque les journées raccourcissent, leur corps fabrique un antigel : le glycérol. Cette substance ne gèle pas, même s'il fait très froid.

*Nous, les humains, comme tous les mammifères, sommes des animaux à **sang chaud** : notre corps demeure toujours à la même température, 37 °C.

En attendant le printemps

œufs

Au cours de sa vie, un insecte prend différentes formes. Lorsque l'**œuf** éclot, il en sort une **larve**, qui ressemble souvent à un petit ver. Puis, la larve cesse de manger et de bouger. Elle commence à se transformer en adulte. C'est une **nymphe**. Souvent, elle s'enroule dans un cocon. Après quelque temps, la nymphe devient un insecte **adulte**.

larve

nymphe

Chez certains insectes, comme les sauterelles, les œufs éclosent directement sous la forme d'adultes miniatures.

En hiver, on trouve donc des insectes sous forme d'œufs, de larves, de nymphes et d'adultes. Certains, comme les mouches, sont juste un peu endormis. Mais la plupart des insectes ne peuvent pas se réveiller avant le printemps.

adulte

Des papillons-voyageurs

Certains papillons, les monarques, vont passer l'hiver au Mexique. Ils mettent deux mois à parcourir les 3 000 km séparant le Canada du Mexique.

Des locataires envahissants

Des insectes ont une façon astucieuse de passer l'hiver à l'abri. Ils obligent une plante à leur fabriquer un logis !

À l'automne, certaines guêpes, mouches et punaises pondent leurs œufs dans la tige d'une plante. Par la même occasion, la femelle injecte dans la tige une substance qui ordonne à la plante de grossir autour des œufs. Les petits insectes grandissent alors à l'abri du froid et de certains prédateurs.

Ces abris pour insectes s'appellent des **galles**. Il en existe sur des dizaines de plantes, dont la verge d'or (photo). L'été, la verge d'or est une belle fleur jaune. L'hiver,

Ouvre l'œil

Certains papillons de nuit hivernent sous forme de cocon. Cherches-en dans les creux de l'écorce des arbres, dans des feuilles mortes enroulées, sous des branches mortes...

•

Creuse un peu le sol sous la neige. Des larves, des nymphes et des adultes endormis y sont peut-être enfouis.

•

À la fin de l'hiver, lorsque les journées sont douces, regarde la neige au pied des arbres. Vois-tu de petits points noirs qui sautillent ? Ce sont des collemboles.

devenue brune et sèche, elle émerge parfois du couvert de neige des champs. La tige est-elle décorée d'une boule dure comme du bois ? C'est une galle. Cueille la tige et coupe la galle en deux. Tu devrais y trouver la larve endormie d'une petite mouche. Si la galle est vide, c'est qu'un prédateur est passé avant toi !

Une pouponnière d'insectes

Dans une boîte à chaussures, ramasse des cocons, des nymphes ou des œufs d'insectes. Parfois, il te faudra cueillir un rameau d'arbre ou ramasser un peu de terre pour ne pas abîmer ces fragiles créatures. Protège-les du froid avec des feuilles mortes ou des copeaux de bois. Laisse la boîte dehors à l'abri du vent. Si tu es chanceux, tu verras éclore tes insectes au printemps.

Frissons garantis

Au premier jour de l'hiver, autour du 21 décembre, tu as déjà sorti ta tuque et tes mitaines depuis longtemps. À partir de cette date, la température dépasse rarement zéro.

Curieusement, les températures les plus froides surviennent souvent vers le 20 janvier, alors que les jours allongent depuis la fin décembre. C'est qu'il faut environ un mois à la Terre pour perdre toute la chaleur accumulée pendant les saisons plus chaudes.

Blanc et froid

À cause de sa couleur blanche, le manteau de neige qui couvre le sol réfléchit une grande partie des rayons solaires. En été, au contraire, les rayons sont absorbés par le sol foncé. Tu peux expérimenter cette différence lors d'une journée ensoleillée. Touche le capot de deux voitures, l'une blanche, l'autre noire. Étonnant, n'est-ce pas !

Records de froid

En **Amérique du Nord** : -63 ºC,
à Snag, dans le Territoire du Yukon, le 3 février
1947. Il faisait si froid que les gens s'amusaient à
cracher en l'air pour entendre leur salive
gelée retomber sur le sol !

•

Au **Québec** : -54,4 ºC, à Doucet
(près de Val d'Or), en Abitibi, le 5 février 1923.

•

Sur **Terre** : -89,2 ºC, à Vostok, en Antarctique,
le 21 juillet 1983.

Fais la lumière sur le froid

Pourquoi l'hiver est-il si froid ? D'abord, les journées sont plus courtes qu'en été. Les rayons du soleil ont donc moins de temps pour nous réchauffer. Ensuite, le soleil monte moins haut au-dessus de l'horizon qu'en été. Voyons cela à la lumière d'une petite expérience.

MATÉRIEL
● ● ● ● ● ● ●

- une lampe de poche
- un tube en carton (d'un rouleau d'essuie-tout ou de papier hygiénique)
- une feuille de papier
- un ami

1. Fais le noir dans la pièce et allume la lampe de poche.

2. Place le tube de carton en position verticale à 10 cm au-dessus du papier.

3. Éclaire la feuille de papier par le haut du tube.

4. Demande à ton ami de tracer le contour du cercle lumineux sur le papier.

5. Place maintenant le tube à un angle de 45° par rapport à la feuille de papier.

6. Éclaire de nouveau la feuille de papier par le haut du tube.

7. Demande à ton ami de dessiner la forme du halo lumineux sur le papier.

La lampe de poche représente le Soleil. Lorsqu'elle est verticale, la lumière est concentrée sur une petite surface. C'est la situation en été, alors que le soleil monte très haut dans le ciel.

Lorsque la lampe est inclinée, la lumière se répand sur une plus grande surface. Par contre, chaque centimètre carré de papier reçoit moins de lumière... et moins de chaleur. C'est ce qui se produit en hiver, alors que le soleil reste bas dans le ciel. Ses rayons obliques apportent peu de chaleur.

Où est passé le Soleil ?

À la fin juin, le Soleil nous éclaire 16 heures par jour. À la fin décembre, à peine 8 heures ! Pourquoi cette différence ?

Tu sais que la Terre met une journée à faire un tour complet sur elle-même. C'est ce qui donne le jour et la nuit.

La Terre se déplace aussi **autour** du Soleil. Un long voyage qui dure une année complète. Au cours de ce voyage, la Terre ne se tient pas parfaitement droite : elle est un peu inclinée (penchée) par rapport au Soleil. C'est cette inclinaison qui est responsable des saisons.

Voyons cela à l'aide d'une expérience.

MATÉRIEL

- une balle en mousse (ou un fruit rond) ; tu peux aussi utiliser un globe terrestre
- une baguette de bois (ou une aiguille à tricoter)
- un tube de carton (d'un rouleau d'essuie-tout ou de papier hygiénique)
- une lampe sans abat-jour
- une punaise

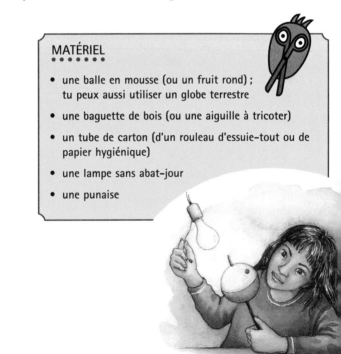

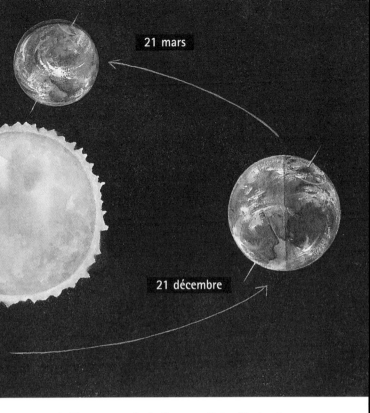

21 mars

21 décembre

1. Transperce la balle avec l'aiguille à tricoter. C'est ta planète Terre.

2. Dessine un point à chaque extrémité. Voilà le pôle Nord et le pôle Sud.

3. Trace une ligne autour de la balle, à mi-chemin entre le pôle Nord et le pôle Sud. C'est l'équateur.

4. Enfonce une punaise dans la balle entre le pôle Nord et l'équateur. Voilà ta maison !

5. Allume l'ampoule électrique. C'est le Soleil.

L'hiver commence...

6. Place la balle à droite de l'ampoule, en inclinant la baguette vers la droite (voir le dessin). Place le tube de carton sur l'ampoule, vers la Terre. Le pôle Nord est dans le noir.

7. Fais tourner ta planète sur elle-même, sans changer l'angle de la baguette ni déplacer la balle par rapport à l'ampoule. Chaque fois que tu fais faire un tour sur elle-même à la Terre, c'est une journée qui passe. Le pôle Nord est toujours dans le noir. Si tu y vivais, tu ne verrais pas le soleil se lever de l'hiver !

8. Regarde bien ta maison (la punaise). Pendant que tu fais faire un tour à ta planète, elle passe plus de temps dans l'obscurité qu'à la clarté. En hiver, les nuits sont plus longues que les jours.

Quand commence l'hiver ?

Certaines années, l'hiver commence le 20 décembre. D'autres fois, le 22 décembre. Pourquoi ces différences ?

Au cours de son long voyage autour du Soleil, la Terre ne suit pas un chemin précis comme un train. D'une année à l'autre, sa trajectoire autour du Soleil change légèrement. Cela est dû à l'influence des autres planètes. Résultat : une légère variation du moment où débutent les saisons.

... et voici le printemps !

9. Déplace maintenant ta Terre vers l'arrière de l'ampoule, tout en la gardant bien inclinée. Ce trajet, c'est celui de la Terre pendant l'hiver.

Déplace aussi le tube de carton dans la direction de la Terre.

10. Fais tourner la planète sur elle-même. Regarde bien le pôle Nord. La division entre le jour et la nuit passe exactement par ce point. C'est l'**équinoxe de printemps** : partout sur la Terre, le jour et la nuit ont exactement la même durée.

Officiellement, l'hiver débute le jour le plus court de l'année. Mais la nature n'est pas réglée comme une horloge. Certaines années, il fait très froid dès novembre. D'autres années, la première neige tombe après Noël ! Cette année, dame nature est-elle en avance ou en retard ?

Le ciel d'hiver

C'est en hiver que le ciel étoilé est le plus spectaculaire. Tu peux y observer une foule de **constellations**, des dessins formés par des étoiles. L'idéal, c'est d'être à la campagne, loin des lumières électriques, par une nuit sans lune et sans nuage. Habille-toi chaudement !

Orion : Selon une légende grecque, Orion était un géant d'une grande beauté. Sa constellation, l'une des plus belles, a la forme d'un sablier. En décembre et en janvier, tu la verras à l'est. En février et en mars, elle est au sud.

Le baudrier d'Orion : Vois-tu trois étoiles brillantes au centre de la constellation d'Orion ? Elles forment le baud▪
de tis▪
du gé▪
trois ▪
tent l▪
de bo▪
du m▪
leuse.
liards▪
raît n▪
se tro▪

Le Ta▪
d'Ori▪

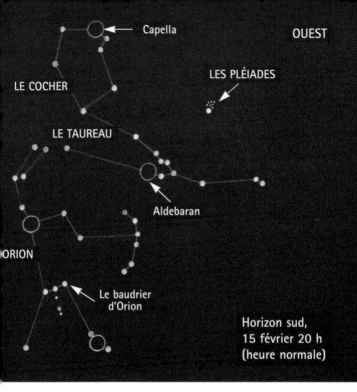

Capella

OUEST

LES PLÉIADES

LE COCHER

LE TAUREAU

Aldebaran

ORION

Le baudrier
d'Orion

Horizon sud,
15 février 20 h
(heure normale)

vers le zénith, le point au-dessus de ta tête. Un peu à droite d'Orion, vois-tu une étoile rougeâtre très brillante ? Elle s'appelle Aldebaran et fait partie de la constellation du Taureau.

Les Pléiades : Trace une ligne entre Aldebaran et l'étoile en bas et à gauche d'Orion. En prolongeant cette ligne, vois-tu un groupe de sept étoiles très

rapprochées ? Ce sont les Pléiades. Dans la mythologie grecque, les Pléiades étaient sept jeunes filles poursuivies par Orion.

Le Cocher : Si tu traces une ligne imaginaire entre Aldebaran et l'étoile Polaire (voir la page 39), tu croiseras Capella, une étoile très brillante de la constellation du Cocher.

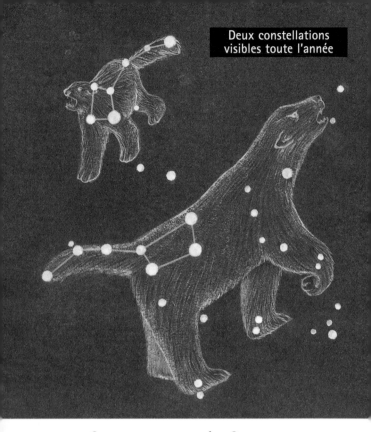

Ourses ou casseroles ?

Certaines constellations sont visibles toute
l'année. C'est le cas de la Grande Ourse et
de la Petite Ourse, qui ont toutes deux la
forme d'une casserole. Les Anciens avaient
décidément beaucoup d'imagination pour y
voir des ours !

Pendant les mois de décembre et de janvier,
en début de soirée, tu peux les apercevoir en
regardant vers le nord. En février et en mars,
elles sont plutôt vers l'est.

La Grande Ourse mène à l'étoile Polaire

Une fois que tu as repéré la Grande Ourse, tu peux facilement trouver l'étoile Polaire. Elle est toujours au nord. Toutes les autres étoiles semblent se déplacer autour d'elle. En réalité, c'est la Terre qui tourne.

Voici comment trouver l'étoile Polaire.

1. Dans la Grande Ourse, repère les deux étoiles qui forment le côté opposé à la poignée de la casserole.

2. Mesure cinq fois la distance entre ces deux étoiles. Tu trouveras alors l'étoile Polaire. Elle forme le bout de la queue de la Petite Ourse.

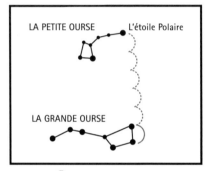

Comme l'étoile Polaire marque toujours le nord, on peut s'en servir pour s'orienter si on est perdu.

Une planète dans la Grande Ourse

En 1996, des astronomes ont trouvé une planète autour d'une étoile appelée 47 Ursae Majoris, dans la constellation de la Grande Ourse. On ignore s'il y a de la vie sur cette planète. Qui sait, des scientifiques en herbe y sont peut-être en train d'observer la Terre ?

Dernier croissant

Nouvelle lune

Premier croissant

Premier quar

Au clair de la Lune

• • • • • • • • •

La Lune est une grosse boule de roche. Contrairement au Soleil, elle n'émet pas de lumière. Elle est brillante parce qu'elle réflète la lumière du Soleil, comme un miroir.

La Lune fait le tour de la Terre en 29,5 jours. À mesure qu'elle se déplace, elle nous présente un nouveau visage : tantôt une boule blanche, tantôt un mince croissant... Ces différents aspects s'appellent les **phases de la Lune**.

Les phases de la Lune

Nouvelle lune

La moitié de la Lune qui fait face à la Terre ne reçoit pas de lumière du Soleil. La Lune n'est donc pas visible de la Terre.

Phase CROISSANTE

Dans les jours qui suivent, la Lune commence à croître. Elle a d'abord la forme d'un mince croissant lumineux : le **premier croissant**. Tu peux l'observer en regardant vers l'ouest, tout de suite après le coucher du soleil.

Si tu regardes la Lune à la même heure tous les soirs, tu verras qu'elle grossit un peu chaque jour jusqu'à former un demi-cercle : **le premier quartier**.

Puis notre satellite se déplace vers l'est et continue à croître : c'est la **Lune gibbeuse**.

Pleine lune

Au bout de deux semaines, la Lune forme un disque lumineux parfait. Elle se lève à l'est, en même temps que le soleil se couche à l'ouest.

Phase DÉCROISSANTE

Au cours des deux semaines suivantes, la Lune décroît. Elle se lève de plus en plus tard la nuit, et elle demeure visible tôt le matin.

La face cachée de la Lune

Lorsque tu regardes la Lune, tu en vois toujours le même côté. C'est parce que la Lune tourne sur elle-même exactement à la même vitesse qu'elle tourne autour de la Terre. L'autre côté nous est toujours invisible. On l'appelle la face cachée de la Lune.

Difficile à imaginer ? Mets-toi debout devant une table. Fais-en le tour en te déplaçant sur le côté, de façon à toujours regarder la table. À la fin, tu as fait un tour complet sur toi-même par rapport à la pièce. Imagine maintenant que la table est la Terre et que tu es la Lune. Ton dos serait la face cachée de la Lune.

Illusion d'optique

Dans le ciel, le Soleil et la pleine lune nous semblent de la même grosseur. Pourtant, le Soleil est 400 fois plus gros que la Lune ! Mais il est aussi 400 fois plus loin. C'est pourquoi les deux astres nous semblent de la même taille.

Au quart pleine?

Cette Lune est-elle en train de croître ou de décroître ?

Réponse en page 64.

Léger, léger

Savais-tu que sur la Lune, ton poids serait seulement le sixième de ce qu'il est sur Terre.

Si tu pèses 30 kilos sur Terre, le pèse-personne marquerait donc 5 kilos sur la Lune. Pourquoi ? La Lune est beaucoup plus petite que la Terre. Sa force d'attraction est donc beaucoup moins grande.

Sauve ta peau !

Tu as sûrement déjà joué dehors par -25 °C sans avoir froid ? D'autres fois, il est presque insupportable de rester dehors, même s'il fait «seulement» -15 °C. C'est le vent qui est le coupable !

Le vent « vole » la chaleur du corps

Lorsqu'il ne vente pas, ton corps réchauffe une mince couche d'air autour de toi. Cet air tiède joue le rôle d'un isolant entre ton corps et l'air froid. Mais le vent emporte cette couche d'air protectrice. Résultat : ton corps essaie en vain de réchauffer l'air qui t'entoure, et tu perds ainsi beaucoup de chaleur. En ski et à moto-neige, c'est encore pire : comme tu vas très vite, l'air bouge autour de toi comme s'il ventait très fort.

En mesurant la température et la vitesse du vent, les météorologues peuvent prévoir quelle quantité de chaleur nous risquons de perdre. C'est ce qu'on appelle le **facteur de refroidissement**. Par exemple, s'il fait -18 °C et que le vent souffle à 16 km/h, ton corps a la sensation qu'il fait -30 °C ! Sois très vigilant, car la peau nue peut alors geler.

« Attention, tu vas prendre froid ! »

Cet avertissement, tu l'entends tout l'hiver.
En fait, on veut dire : « Attention, tu vas
attraper la grippe ! »

Pourtant, il n'y a aucun lien entre le froid
et la grippe. Il est vrai que plus de gens at-
trapent la grippe en hiver. Mais c'est parce
que nous passons plus de temps enfermés
dans des pièces mal aérées. Nous vivons
alors parmi les microbes des autres.

Lorsqu'un ami malade tousse ou éternue
devant toi, il projette dans l'air des gouttelettes de salive. Celles-ci contiennent des
microbes. Si tu respires quelques-unes de
ces gouttelettes, tu risques d'hériter de
microbes !

Heureusement, ton corps possède un sys-
tème de défense contre les microbes. La
plupart du temps, il réussit à t'en débar-
rasser sans que tu deviennes malade.

Garde ton sang... chaud !

Tu aimes jouer dehors par temps très froid ? Alors méfie-toi des **engelures**, des blessures causées par le froid. Elles touchent le plus souvent les parties exposées du corps : visage, oreilles et mains. Les pieds aussi peuvent en souffrir, si le sang y circule mal à cause de bottes trop serrées.

Pour bien fonctionner, ton corps doit toujours être à la même température : 37 °C. Lorsqu'il fait très froid, ton corps cherche à garder sa chaleur. Il envoie moins de sang à la surface de ta peau, pour ne pas que le sang se refroidisse. Résultat : la peau s'engourdit, puis elle devient blême. Dans les cas extrêmes, la peau meurt. C'est la **gangrène**.

Eau chaude ou eau tiède ?

En hiver, vaut-il mieux prendre un bain (ou une douche) dans l'eau très chaude ou dans l'eau tiède ?

Réponse en page 64.

Que faire en cas d'engelure ?

1. Par temps très froid, surveille la peau de tes amis. Une tache blanche est le signe d'une engelure. Si tu es seul, touche régulièrement ton visage ; un endroit insensible risque d'être gelé.

2. Enlève les vêtements serrés et mouillés qui couvrent l'engelure.

3. Réchauffe la partie gelée. Par exemple, place le pied ou la main de ton ami sur ton ventre ou sous tes aisselles. Ou encore, pose ta main sur son visage. Tu peux aussi tremper la partie gelée dans l'eau tiède. Important : ne la frotte pas, car tu risquerais d'endommager davantage la peau.

Un conseil : porte toujours une tuque. Tu perds beaucoup de chaleur par la tête, même si tu ne t'en rends pas compte.

La neige dans tous ses états

Certaines journées sont parfaites pour une bataille de boules de neige. Ces jours-là, il fait doux. La neige est mouillée et contient beaucoup d'eau. Cette eau permet aux flocons de coller ensemble pour faire de belles boules ou des sculptures spectaculaires.

D'autres fois, la neige tombe des mitaines sans coller. Il fait alors très froid. La neige est sèche et poudreuse. Les flocons refusent de s'agglutiner.

Où est passée la neige ?

Hier, après la tempête, il y avait un peu de neige sur le rebord de la fenêtre. Aujourd'hui, plus rien ! Pourtant, il n'a pas venté. Et il a fait beaucoup trop froid pour qu'elle fonde.

La neige s'est sublimée : elle est passée directement de l'état solide (neige) à l'état de vapeur, sans fondre. Le même phénomène se produit avec les glaçons oubliés au congélateur. Voici une expérience à ce sujet.

MATÉRIEL

- neige humide
- sac en plastique fermant hermétiquement (genre Ziploc)
- congélateur

1. Lors d'une journée douce, fais une dizaine de boules de neige de taille semblable.

2. Mets-en neuf dans un sac en plastique, et place-le au congélateur.

3. Place la boule restante au fond du congélateur.

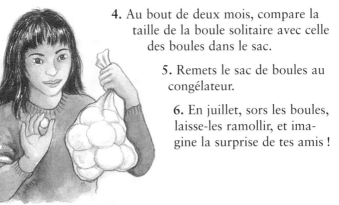

4. Au bout de deux mois, compare la taille de la boule solitaire avec celle des boules dans le sac.

5. Remets le sac de boules au congélateur.

6. En juillet, sors les boules, laisse-les ramollir, et imagine la surprise de tes amis !

Où tombe la neige ?

Lors d'une tempête, de quel côté d'une clôture la neige s'accumule-t-elle ? Du côté face au vent, ou de l'autre ?

Réponse en page 64.

Des crissements dans la neige

Par temps très froid, as-tu remarqué le bruit que fait la neige sous tes pieds ? Qu'est-ce qui provoque ces crissements ? C'est le frottement des flocons secs les uns contre les autres. Lorsqu'il fait plus chaud, ton poids fait fondre un peu de neige sous tes bottes. L'eau mouille les cristaux et les rend silencieux.

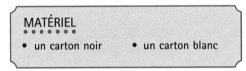

Noir et blanc

Pourquoi met-on du sable sur les routes en hiver ? Parce que le sable frotte sur les pneus des voitures et les empêche de déraper. Mais aussi parce que le sable est foncé. Voici une expérience pour t'aider à comprendre cela.

> **MATÉRIEL**
> • • • • • • •
> • un carton noir • un carton blanc

1. Par une journée d'hiver douce et ensoleillée, pose les deux cartons sur la neige.

2. Laisse-les en place pendant au moins deux heures.

3. Une fois ce temps écoulé, observe bien les deux cartons. L'un est-il plus enfoncé que l'autre dans la neige ?

Le carton noir devrait être un peu plus enfoncé. Pourquoi ? Le noir absorbe la lumière et la chaleur du soleil. Cette chaleur a fait fondre un peu de neige sous le carton. Le blanc, au contraire, réfléchit les rayons du soleil comme un miroir. Il n'absorbe pas la chaleur du soleil. La neige n'a pas fondu sous ce carton.

Lorsqu'on met du sable foncé sur la route, il absorbe la chaleur du soleil et fait fondre la glace. Les automobiles courent moins de risques de déraper.

Glace et glaçons

L'hiver, c'est la saison des glaçons ! Accrochés au rebord des toits et des rochers, on dirait des épées de glace ! Ils se forment lors des journées froides et ensoleillées. Comment ?

La chaleur du soleil fait fondre la neige. L'eau s'écoule vers le rebord du toit ou du rocher, où il fait plus froid. À mesure que les gouttes d'eau tombent, elles gèlent. Un glaçon commence à se former. Chaque nouvelle goutte qui dégouline le long du glaçon gèle à son tour. Le glaçon allonge...

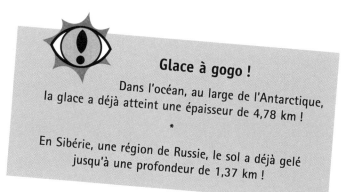

Un couvercle sur le lac

Au début de l'hiver, regarde comment se forme la glace sur un lac. Des aiguilles de glace apparaissent d'abord près de la rive. Peu à peu, la glace gagne le milieu du lac. Avec le temps, elle épaissit suffisamment (au moins 10 cm) pour qu'on puisse marcher dessus. Au cœur de l'hiver, elle est si épaisse que des véhicules peuvent y circuler.

La glace est comme un couvercle sur un lac. Dessous, l'eau ne gèle pas et les poissons continuent à nager. Des pêcheurs percent des trous dans la glace pour y tendre leurs lignes. C'est ce qu'on appelle la pêche blanche.

L'eau qui enfle

Savais-tu que les conduites d'eau peuvent geler et fendre lorsqu'il fait très froid ? En fait, ce ne sont pas les tuyaux qui gèlent, mais plutôt l'eau à l'intérieur. En gelant, l'eau peut causer de sérieux dommages. Voyons cela avec une expérience.

MATÉRIEL
- une bouteille de vin vide avec son bouchon de liège
- un pot en verre avec un couvercle qui se visse
- un sac en plastique

1. Remplis d'eau la bouteille de vin. Enfonces-y le bouchon de liège.

2. Remplis d'eau le pot et visse le couvercle.

3. Place tes deux contenants debout dans un sac en plastique.

4. Laisse-les dehors quelques jours par temps très froid. Devines-tu ce qui va se produire?

En gelant, l'eau occupe plus d'espace (on dit qu'elle augmente de volume). À l'étroit dans la bouteille, la glace cherche à sortir : elle pousse sur le bouchon de liège et le fait sauter.

Dans le pot, l'eau prend aussi du volume en gelant. Si ton couvercle ne ferme pas hermétiquement, un peu d'eau déborde et gèle à l'extérieur du pot.

Si le couvercle ferme bien, le verre peut casser sous la poussée de la glace. Attention de ne pas te couper!

Lorsque l'eau gèle dans une conduite d'eau, elle augmente de volume et peut fendre le tuyau. Voilà pourquoi, dans une maison mal isolée, on ouvre un peu les robinets par temps glacial. Comme l'eau en mouvement ne gèle pas, les tuyaux ne risquent pas d'éclater. Dans les chalets, on vide les tuyaux avant l'hiver.

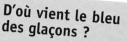

D'où vient le bleu des glaçons ?

Tu as sûrement déjà observé des glaçons bleus ou verts suspendus à des parois rocheuses. D'où viennent ces couleurs magnifiques ?

a) De la pollution de l'air.

b) De minéraux qui se sont dissous dans l'eau avant qu'elle gèle.

c) De geais bleus qui s'y frottent.

Réponse en page 64.

Frimas, givre et verglas

Si tu portes des lunettes, l'hiver est la saison où tu passes le plus de temps à les essuyer. Dès que tu entres dans la maison, elles se couvrent de buée. Pourquoi ?

Tes lunettes sont froides. L'air de la maison, lui, est chaud et plus humide que l'air extérieur. Il contient de minuscules gouttelettes d'eau, invisibles à l'œil nu. Lorsque cette vapeur d'eau touche le verre, elle se condense : elle forme une fine couche d'eau sur tes lunettes. C'est la **buée**.

Ton haleine aussi, c'est de l'air chaud et humide. Cet air se condense au contact du froid. Il se forme alors un petit nuage devant ta bouche. Lorsque ce nuage touche à tes vêtements ou à tes cheveux, il gèle. C'est le **frimas**.

Le givre, artiste de l'hiver

Le givre est une des beautés de l'hiver. Il dessine de jolies fioritures sur les vitres de certaines maisons. Le givre se forme quand deux conditions sont remplies :

- l'air de la pièce est chaud et humide ;
- la vitre de la fenêtre est sous le point de congélation.

Au contact de la vitre froide, la vapeur d'eau présente dans l'air se change en glace. Les dessins du givre suivent les traces de graisse ou de saleté sur la vitre.

Le verglas, un manteau de glace

As-tu déjà vu des arbres dont les branches sont recouvertes d'une couche de glace qui scintille au soleil ? Splendide, n'est-ce pas ! Le moindre coup de vent les fait tinter. Cette glace, c'est du verglas.

Même en hiver, il arrive qu'il pleuve. Souvent alors, la température du sol, des arbres et des fils électriques est sous 0 °C. Au contact de ces surfaces, la pluie gèle aussitôt, les recouvrant d'une fine croûte glacée.

Le verglas peut causer des catastrophes. Sous le poids de la glace, les branches des arbres et les fils électriques se rompent. Sur la chaussée, des automobiles dérapent. Sur les trottoirs, des piétons perdent pied et se blessent. Sois prudent !

Qui est l'intrus ?

Lequel de ces phénomènes météorologiques ne peut pas se produire chez nous en hiver ?

a) Le chinook

b) L'ouragan

c) Le blizzard

d) La pluie verglaçante

Réponse en page 64.

Le grésil, ou quand la pluie se met en boule

Comme le verglas, le grésil commence en pluie. Mais avant d'arriver au sol, cette pluie rencontre une couche d'air très froid qui fait geler les gouttelettes. Cela donne de petites boulettes de glace, qui rebondissent en touchant le sol.

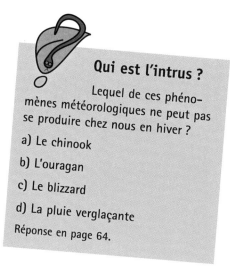

Changements en vue !

Tout au long de l'hiver, la nature se transforme. Choisis un paysage près de chez toi. Dessine-le (ou photographie-le) le 15 de chaque mois, toujours à la même heure. D'un mois à l'autre, observe les changements : la longueur des ombres, la quantité de neige, les traces d'animaux, etc.

Pour bien observer la succession des saisons, pourquoi ne pas dessiner ton paysage tout au long de l'année ?

À quelle heure le coq chante-t-il ?

Dès le début de l'hiver, les jours commencent à allonger. À quel rythme ?

Reproduis ou photocopie, en l'agrandissant, ce tableau. Une fois par semaine, note l'heure du lever et du coucher du soleil à la page de la météo du journal (ou en écoutant la radio ou en regardant la télé). Inscris ces heures sur le tableau.

Noircis les périodes où le soleil est couché et colorie en jaune celles où il est levé. Combien de minutes d'ensoleillement la journée gagne-t-elle par semaine ?

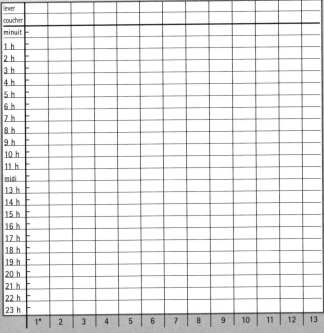

	1*	2	3	4	5	6	7	8	9	10	11	12	13
lever													
coucher													
minuit													
1 h													
2 h													
3 h													
4 h													
5 h													
6 h													
7 h													
8 h													
9 h													
10 h													
11 h													
midi													
13 h													
14 h													
15 h													
16 h													
17 h													
18 h													
19 h													
20 h													
21 h													
22 h													
23 h													

* La semaine 1 est celle du 21 décembre.

Fais le point sur la température

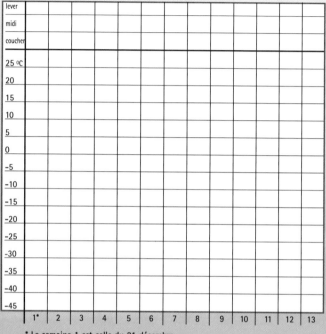

	1*	2	3	4	5	6	7	8	9	10	11	12	13
lever													
midi													
coucher													
25 °C													
20													
15													
10													
5													
0													
–5													
–10													
–15													
–20													
–25													
–30													
–35													
–40													
–45													

* La semaine 1 est celle du 21 décembre.

Reproduis ou photocopie, en l'agrandissant, ce tableau. Une fois par semaine, note la température : a) en te levant le matin ; b) à midi ; c) en te couchant. Assure-toi que ton thermomètre est à l'ombre.

Fais un point dans le tableau pour chacune des températures. Marque la température du matin en vert, celle du midi en rouge et celle du soir en bleu. Relie les points de même couleur.

À quel moment de la journée la température est-elle habituellement la plus basse ? Quel est le mois le plus froid ? le record de froid ?